中华人民共和国国家标准

火力发电厂海水淡化工程调试及验收规范

Code for commissioning and acceptance for seawater desalination project in thermal power plants

GB/T 51189-2016

主编部门：中 国 电 力 企 业 联 合 会
批准部门：中华人民共和国住房和城乡建设部
施行日期：２０１７年４月１日

中国计划出版社

2016　北　京

中华人民共和国国家标准

火力发电厂海水淡化工程调试及
验收规范

GB/T 51189-2016

☆

中国计划出版社出版发行

网址：www.jhpress.com

地址：北京市西城区木樨地北里甲11号国宏大厦C座3层

邮政编码：100038　电话：(010) 63906433（发行部）

北京市科星印刷有限责任公司印刷

850mm×1168mm　1/32　1.625印张　36千字
2017年3月第1版　2017年3月第1次印刷
☆
统一书号：155182・0016
定价：12.00元

版权所有　侵权必究

侵权举报电话：(010) 63906404

如有印装质量问题，请寄本社出版部调换

中华人民共和国住房和城乡建设部公告

第 1291 号

住房城乡建设部关于发布国家标准《火力发电厂海水淡化工程调试及验收规范》的公告

现批准《火力发电厂海水淡化工程调试及验收规范》为国家标准,编号为 GB/T 51189—2016,自 2017 年 4 月 1 日起实施。

本规范由我部标准定额研究所组织中国计划出版社出版发行。

中华人民共和国住房和城乡建设部
2016 年 8 月 26 日

前　言

本规范根据住房城乡建设部《关于印发〈2014年工程建设标准规范制订、修订计划〉的通知》(建标〔2013〕169号)的要求,由西安热工研究院有限公司和中国电力企业联合会标准化管理中心会同神华国华(北京)电力研究院有限公司、华能国际电力股份有限公司玉环电厂编制完成。

本规范在编制过程中,编制组广泛调查工程案例,认真总结运行经验,参考了有关国内标准和国外先进标准,在广泛征求意见的基础上,编制本标准。

本规范共分7章和2个附录。主要技术内容包括:总则、术语、海水淡化系统设备单体调试、海水淡化预处理系统调试、海水反渗透系统调试、低温多效蒸馏系统调试、系统调试验收项目。

本规范由住房城乡建设部负责管理,由西安热工研究院有限公司负责具体技术内容的解释。在执行过程中,如有需要修改和补充之处,请将意见和建议寄交西安热工研究院有限公司(地址:西安市兴庆路136号,邮政编码:710032),以便修订时参考。

本规范主编单位、参编单位、主要起草人和主要审查人:

主　编　单　位:中国电力企业联合会
西安热工研究院有限公司

参　编　单　位:神华国华(北京)电力研究院有限公司
华能国际电力股份有限公司玉环电厂

主要起草人:杨宝红　许　臻　张建丽　王　璟　张江涛
庞胜林　王正江　李亚娟　苏　艳

主要审查人：阮国玲　蔡冠萍　杜红纲　孙育文　李　丁
　　　　　　袁萍帆　孙心利　李　宁　于志勇　闫爱军
　　　　　　叶春松　滕维忠　冯向东　依庆文　赵锦龙

目 次

1 总　　则 …………………………………………………（ 1 ）
2 术　　语 …………………………………………………（ 2 ）
3 海水淡化系统设备单体调试 ……………………………（ 4 ）
　3.1 调试前应具备的条件 ………………………………（ 4 ）
　3.2 设备检查及单体调试 ………………………………（ 5 ）
4 海水淡化预处理系统调试 ………………………………（ 10 ）
　4.1 预处理系统调试前应具备的条件 …………………（ 10 ）
　4.2 混凝澄清装置调试 …………………………………（ 10 ）
　4.3 介质过滤装置调试 …………………………………（ 12 ）
　4.4 超/微滤装置调试 ……………………………………（ 12 ）
5 海水反渗透系统调试 ……………………………………（ 14 ）
　5.1 海水反渗透系统调试前应具备的条件 ……………（ 14 ）
　5.2 海水反渗透系统调试 ………………………………（ 14 ）
6 低温多效蒸馏系统调试 …………………………………（ 17 ）
　6.1 低温多效蒸馏系统调试前应具备的条件 …………（ 17 ）
　6.2 低温多效蒸馏系统调试 ……………………………（ 17 ）
7 系统调试验收项目 ………………………………………（ 22 ）
附录 A 超/微滤平均水回收率和净产水量的计算 ………（ 23 ）
附录 B 反渗透脱盐率和水回收率的计算 ………………（ 24 ）
本规范用词说明 ……………………………………………（ 25 ）
引用标准名录 ………………………………………………（ 26 ）
条文说明 ……………………………………………………（ 27 ）

Contents

1 General provisions .... (1)
2 Terms .... (2)
3 Individual equipment of seawater desalination system debugging .... (4)
   3.1 The debugging conditions of individual equipment .... (4)
   3.2 The equipment inspection and individual equipment debugging .... (5)
4 Seawater desalination pretreatment system debugging .... (10)
   4.1 The conditions required for subsystem before debugging .... (10)
   4.2 Adjustment test of coagulation clarification device .... (10)
   4.3 Adjustment test of filtration unit .... (12)
   4.4 Adjustment test of ultrafiltration/microfiltration device ...... (12)
5 Seawater reverse osmosis system debugging .... (14)
   5.1 The debugging conditions before Seawater reverse osmosis system debugging .... (14)
   5.2 Seawater reverse osmosis system debugging .... (14)
6 Low-temperature multi-effect distillation system debugging .... (17)
   6.1 The debugging conditions before low-temperature multi-effect distillation system debugging .... (17)
   6.2 Low-temperature multi-effect distillation system debugging .... (17)

7 The debugging and acceptance of the project ············ (22)
Appendix A The calculation of ultrafiltration/
           microfiltration average recovery ration
           and net filtrate capacity ······················· (23)
Appendix B The calculation of reverse osmosis
           rejection ration and recovery ration ········· (24)
Explanation of wording in this code ························· (25)
List of quoted standards ····································· (26)
Addition: Explanation of provisions ·························· (27)

1 总　　则

1.0.1 为规范火力发电厂海水淡化系统的调试及验收，保证海水淡化处理系统安全、可靠、经济的运行，制定本规范。

1.0.2 本规范适用于采用反渗透技术或低温多效蒸馏技术的火力发电厂海水淡化工程的调试及验收。

1.0.3 发电厂海水淡化工程移交生产前，应完成单体调试和系统调试，并在设计条件下完成调试和验收。

1.0.4 调试组织、调试过程的计量管理和工作程序以及对调试人员和单位的资质要求，应符合现行行业标准《火力发电建设工程机组调试技术规范》DL/T 5294、《火力发电厂化学调试导则》DL/T 1076 的有关规定。

1.0.5 火力发电厂海水淡化工程调试及验收除应符合本规范外，尚应符合国家现行有关标准的规定。

2 术　语

2.0.1 海水淡化反渗透装置　reverse osmosis equipment for seawater desalination

使用反渗透技术对海水进行脱盐处理的水处理装置。

2.0.2 能量回收装置　energy recovery device

用来回收反渗透淡化系统浓盐水水力能，并将其转变成膜的进水水力能的装置。

2.0.3 功交换式能量回收装置　work exchange energy recovery device

通过一步能量转换，直接将浓盐水水力能转化为原水水力能，从而达到回收浓盐水水力能目的的装置。

2.0.4 水力涡轮式能量回收装置　hydraulic turbine booster energy recovery device

通过两步能量转换，浓盐水水力能通过涡轮叶轮转换为旋转轴机械能，旋转轴驱动水泵叶轮再把机械能转换成原水水力能，从而达到回收浓盐水水力能目的的装置。

2.0.5 低温多效蒸馏　low temperature multiple effect distillation

原料海水的最高蒸发温度一般低于70℃的多效蒸馏海水淡化技术。其特征是将一系列管式膜蒸发器串联起来并被分成若干效组，用一定量的蒸汽输入，通过多次的蒸发和冷凝，从而得到多倍于加热蒸汽量的蒸馏水的海水淡化技术。

2.0.6 超滤净产水量　ultrafiltration net filtrate capacity

单位时间内超滤装置的出水量扣除用于超滤反洗、正洗等过程耗水量后的净值，单位为 m^3/h。

2.0.7 超滤平均水回收率 ultrafiltration average recovery

单位时间内超滤装置的净产水量占进水量的百分比。

2.0.8 淤泥密度指数 silt density index(SDI)

用来表征水中悬浮物等杂质含量多少的一种参数,测试方法参考现行行业标准《水质 污染指数测定》DL/T 588。

2.0.9 能量回收装置混合度 energy recovery device mixing

经过能量回收装置时因浓盐水与海水的掺混引起装置高压出水盐度增加的比值。

2.0.10 能量回收装置泄漏率 energy recovery device leakage rate

能量回收装置高压浓盐水与高压海水流量差值占高压浓盐水流量的比值,也可为高压泵流量与产品水流量的差值占高压浓盐水流量的比值。

2.0.11 造水比 gained output ratio(GOR)

多效蒸馏装置产品水和外部输入总蒸汽的质量流量之比。

2.0.12 脱盐率 salt rejection ratio

海水淡化单元设备进水和产品水含盐量的差值与进水含盐量的百分比。

3 海水淡化系统设备单体调试

3.1 调试前应具备的条件

3.1.1 设备单体调试前,海水淡化工程应完成施工验收,试运系统应符合现行行业标准《电力建设施工技术规范 第4部分:热工仪表及控制装置》DL 5190.4 的有关规定。

3.1.2 基础设施、公用系统、药品材料应具备下列条件:

　　1 土建设施和防腐工程应施工完毕并验收合格,道路通畅,地面平整、清洁,沟道盖板完整,平台、楼梯、步道、防护栏杆应齐全、可靠,作业场所应符合有关职业健康安全和环境的要求。

　　2 试运现场消防器材应配备齐全,消防系统应符合设计要求。

　　3 试运现场照明应充足,通信应满足调试工作要求。

　　4 室内采暖、通风设备应具备使用条件,室外设备及管路的保温、防冻措施应已完成,具备投用条件。

　　5 化学试验室应具备使用条件,分析用仪器及药品、调试仪器、仪表应配备齐全,检验和标定合格,并在有效期内。

　　6 给排水应具备投运条件。

　　7 供电系统应调试验收完毕,具备正常投运条件,供电负荷满足试运要求。

　　8 化学药品储存库的构筑物和防腐蚀、通风、安全设施应全部施工完毕并验收合格。

　　9 调试使用的所有材料、药剂、工具及个人防护用品应已备齐并经过检验,验收合格,质量应符合相关标准规定,数量能满足调试的要求。药剂、材料应分类存放、妥善保管。

3.1.3 海水淡化工艺系统应符合下列要求:

1 海水、工业水、压缩空气和蒸汽等辅助系统应具备投用条件。
　　2 试运系统设备、管道和阀门应安装完毕并验收合格;与外围系统的接口应全部连接完毕。
　　3 试运系统所有设备、管道和阀门的标识、标志应符合设计规定,色标应齐全,介质流向指示应正确、清晰。
　　4 系统管道应冲洗合格,蒸汽、压缩空气管道应吹扫合格。冲洗应符合现行行业标准《电力建设施工技术规范　第5部分:管道及系统》DL/T 5190.5的有关规定。
　　5 与试运系统相关的电气及热控设备应安装完毕,验收合格。电气设备应绝缘良好,具备正常投运条件。
　　6 系统相关仪器、仪表经检验和标定应合格,并应在有效期内。
3.1.4 单体调试前,调试单位应编制调试方案、安全措施和应急预案等文件,并完成审核、审批程序。调试资料、记录表格应准备齐全。
3.1.5 调试前应对运行人员、分析人员进行技术培训和安全培训,调试人员应熟悉系统和工作环境。

3.2　设备检查及单体调试

3.2.1 海水淡化系统转动设备单体调试应符合下列规定:
　　1 电动机检查和调试应符合下列要求:
　　　　1)电动机启动前,应检查电动机电缆端接正确、紧固,且绝缘合格;电动机底座固定牢固,电动机手动盘车灵活,轴承润滑油油质正常。
　　　　2)电动机启动后,应检查确认电动机的转向正确;检测并记录电动机的启动电流、启动电压;在电动机稳定运行工况下,应测量电动机的振动、温度和温升,测量结果应符合现行国家标准《电气装置安装工程旋转电机施工及验收范》GB 50170的有关要求。

 2 水泵检查和调试应符合下列要求：
  1）水泵启动前，应检查水泵底座固定牢固、靠背轮防护罩安装正确；水泵的进出口管道阀门及测量仪表安装应正确；泵入口侧加装临时滤网；水泵的润滑油油质应合格、油位正常，手动盘车灵活；水泵泵腔内应充满输送介质，并冲洗合格。
  2）水泵首次启动后，仪表应正常指示，油、气、水管路及接头、阀门等处应无渗漏；在水泵稳定运行工况下，应检测水泵的振动、温度、出口压力及流量，并应符合设备质量要求和设计要求；带有变频器的泵变频调节应正常。

 3 风机和空压机检查和调试应符合下列要求：
  1）风机和空压机启动前，润滑油油质应合格、油位正常；风机底座应固定牢固。冷却水系统运行应正常。
  2）风机启动后，应检查风机出口压力、振动、温度及其安全阀定值，并应符合设备质量要求和设计要求。
  3）空压机启动后，油、气、水管路及接头、阀门等处应无渗漏；在空压机稳定运行工况下，应检测空压机的振动、温度、出口压力及流量，并应符合设备质量要求和设计要求。

 4 计量泵启动前，应检查计量泵底座紧固螺栓无松动，检查进出口管道阀门和测量仪表安装是否正确，检查电动机的转向是否正确。启动后，应检查计量泵出口压力、流量及泵的振动、温度等，并应符合设备质量要求和设计要求。

3.2.2 阀门的调试应符合下列要求：

 1 手动阀门应安装正确、操作方便、转动灵活，开关状态指示正确，且便于观察。

 2 安全阀应安装正确并经校验合格，实测动作压力定值、回座压力定值应正确。

3 减压阀及止回阀安装方向应正确。

4 电动阀门安装及电缆端接应正确,绝缘应合格,动作灵活,行程指示应正确;手动/电动切换功能应正常,力矩开关、限位开关整定应符合要求,失电源情况下的阀门位置应符合设计要求。对于电动调节阀实际开度应与指令一致,就地/远程开度指示应正确。

5 气动阀门及配套的压缩空气附件的安装和连接应正确,动作应灵活,行程指示应正确;手动/气动切换功能应正常,丧失气源情况下阀门位置应符合设计要求;气源压力应在正常范围。气动调节阀实际开度应与指令一致,就地/远程开度指示应正确。

6 在系统通入介质后,应检查阀门无外漏、内漏现象,操作灵活,行程指示正确。

3.2.3 水箱、水池等容器设备安装、防腐、质量验收应符合现行行业标准《电力建设施工质量验收及评价规程 第6部分:水处理及制氢设备和系统》DL/T 5210.6 的有关规定。混凝土构筑物应按现行国家标准《给水排水构筑物工程施工及验收规范》GB 50141 的有关规定进行灌水试验。

3.2.4 管道及系统的检查和试验项目、水压试验用水水质应符合现行行业标准《电力建设施工技术规范 第5部分:管道及系统》DL/T 5190.5 的有关规定。

3.2.5 测量仪表和控制装置的检查和调试应满足下列规定:

1 仪表和控制系统通电前,应检查测量仪表和控制系统接线,确认正确端接,绝缘合格。

2 仪表和控制系统通电后,应对试运系统热工流量、压力、差压、温度、液位等测点远程信号进行静态、动态检验,指示应正常;对化学在线仪表进行调校,指示应在允许误差范围内。

3 控制系统通电后,逻辑组态应完成、程序已装载,软、硬件执行命令应无误。各个设备应进行远程点动操作并就地进行检查,相关设备的动作应正确,监控画面上设备状态显示正确。工艺系统的连锁保护、监测信号应按设计值进行设置并试验,确认保护动作正确。对每一步序所涉及的系统和信号进行检查确认后,应对整个报警连锁保护系统进行模拟试验。参与连锁的电机在试验位置的启停情况及各种状态指示应正常。

  4 控制系统失电后,UPS供电时间应符合现行国家标准《不间断电源设备(UPS) 第3部分:确定性能的方法和试验要求》GB/T 7260.3的有关规定,能够及时投入运行。

3.2.6 海水预处理系统设备及单体调试应符合下列规定:

  1 海水预处理系统设备已完成安装验收,设备条件应符合现行行业标准《电力建设施工技术规范 第6部分:水处理及制氢设备和系统》DL 5190.6的有关规定。其他相关部件按本规范第3.2.1条和第3.2.2条完成检查确认。

  2 应对混凝澄清装置、过滤装置内部进行清扫,检查确认清洁无杂物。

  3 澄清(沉淀)池、过滤池、浸没式超滤水池应完成灌水试验。在容器灌水、基础沉降稳定后,检查澄清设备的内部装置,应符合现行行业标准《电力建设施工技术规范 第6部分:水处理及制氢设备和系统》DL 5190.6的有关规定。压力式过滤器应进行水压试验,确认本体及各连接部位不出现渗漏现象。

  4 应对预处理系统搅拌机、刮泥机、水泵、风机、加药系统等转动机械以及阀门、仪表、电气设备、控制设备进行试运转,运转情况应达到设备质量要求和设计要求。

3.2.7 海水反渗透装置单体调试应符合下列规定:

  1 海水反渗透装置已完成安装验收,应符合现行行业标准《电力建设施工技术规范 第6部分:水处理及制氢设备和系统》DL 5190.6的有关规定;海水反渗透能量回收装置应符合现行国家标准《反渗透能量回收装置通用技术规范》GB/T 30299的有关规定。其他相关部件按本规范第3.2.1条和第3.2.2条完成检查确认。

2 反渗透膜元件安装前,应按现行行业标准《电力建设施工技术规范 第 5 部分:管道及系统》DL/T 5190.5 的有关规定对反渗透装置的管道进行冲洗,检查合格,确认内部清洁无杂物。

3 应对海水反渗透装置进行严密性试验,并应符合现行行业标准《电力建设施工技术规范 第 5 部分:管道及系统》DL/T 5190.5 的有关规定。

4 海水反渗透系统配套的水泵、加药系统、阀门、仪表等设备工作正常,应达到设备质量要求和设计要求。

3.2.8 低温多效蒸馏系统设备检查及单体调试应符合下列规定:

1 低温多效蒸馏装置已完成安装验收,施工质量应符合现行行业标准《电力建设施工技术规范 第 6 部分:水处理及制氢设备和系统》DL 5190.6 的有关规定。

2 蒸发器、冷凝器本体应冲洗合格,确认内部清洁无杂物。

3 蒸发器的泄压保护装置安装应符合设计要求,泄放管道排放畅通。

4 蒸发器、冷凝器已完成灌水或满水试验,设备本体应严密无渗漏,设备基础的沉降应符合设计要求。

5 蒸汽热压缩器(TVC)完成静态检查,TVC 调节锥应动作灵活、无卡涩,行程范围应符合设计要求。

6 其他相关设备及部件应按本规范第 3.2.1 条和第 3.2.2 条完成检查和确认。

4 海水淡化预处理系统调试

4.1 预处理系统调试前应具备的条件

4.1.1 预处理系统应安装完成且通过验收;各设备单体试运应已完成;资料文件应齐全,技术记录应完整;单体试运应验收合格。

4.1.2 预处理系统设备、管道和阀门的标识应符合本规范第3.1.3条规定的条件。

4.1.3 膜处理设备周围环境温度不得低于5℃。当温度高于35℃时,应加强通风措施。

4.1.4 预处理系统控制逻辑组态已完成,远程操作、数据采集和联锁保护应符合本规范第3.2.5条的规定。

4.1.5 超/微滤装置的膜元件应按现行行业标准《电力建设施工技术规范 第5部分:管道及系统》DL 5190.5的要求安装完成。安装前应对超/微滤膜壳及装置内管道进行冲洗合格。

4.1.6 其他条件应符合现行行业标准《火力发电厂化学调试导则》DL/T 1076第4.1条的相关规定。

4.2 混凝澄清装置调试

4.2.1 混凝澄清装置调整试验应包括:药剂选择及剂量试验、加药系统的调试、澄清装置出力试验、排泥方式及出水水质试验。

4.2.2 混凝剂、助凝剂选择及加药剂量应通过试验确定。

4.2.3 加药系统调试应包括计量泵的性能试验、加药系统的调试运转,并应符合下列规定:

1 加药计量泵性能试验应得出计量泵行程、频率与输出流量、压力的关系,参数试验范围应能满足计量泵运行的调整要求。计量泵出力试验范围宜为额定出力的20%~100%;试验介质宜采用清水。

2 投加的药剂浓度宜按设计值控制，必要时可根据药剂的特性进行调整。对于易吸潮的干粉类药剂，应启动加药系统配置的干燥设备。高分子助凝剂的溶解应考虑熟化时间。

3 加药系统可先用清水进行初步试运，确认系统无泄漏。试运时应按操作程序启动搅拌机、计量泵等所有设备，确认设备、阀门、仪表等工作正常，将计量泵的行程、频率逐步调整至预定位置后运行，确认计量泵的流量、出口压力和其他参数处于正常范围内。

4 加药系统的报警、联锁保护和自动控制功能应符合设计要求。

4.2.4 澄清装置调试进水时，应同时启动加药泵。不同类型澄清装置应符合下列规定：

1 泥渣悬浮型澄清装置，可采用人工投加活性泥渣的方法，加快活性泥渣层的形成。

2 泥渣循环型澄清装置，应通过调整试验确定合适的泥渣循环量。

3 高密度澄清池，应通过调整试验确定合适的泥渣回流量、泥渣回流比、絮凝搅拌机转速等关键参数。

4 微涡絮凝等水力反应沉淀池的调试宜按装置的额定流量进行。

4.2.5 澄清装置排泥试验应在澄清装置完成初步调试并稳定运行后进行。排泥周期、排泥时间和排泥方式应根据澄清装置内泥位、泥渣沉降比、出水水质等确定。

4.2.6 澄清装置药剂剂量试验，应按本规范第4.2.2条试验所确定的混凝剂、助凝剂投加剂量为基础，在设计进水流量范围内进行剂量调整试验，获得最佳动态加药剂量。

4.2.7 澄清装置出力试验，宜在最佳动态加药剂量及满负荷条件下进行。

4.2.8 通过调整试验,应提出澄清装置的出力范围、出水水质、加药量、水温、排泥周期及排泥时间等控制参数,并提出设备合理的运行方式。澄清装置出水水质及出力应符合设计要求。

4.3 介质过滤装置调试

4.3.1 介质过滤装置的调整试验宜包括反洗试验、出力试验和直流凝聚过滤工艺的混凝剂剂量试验等。

4.3.2 反洗强度应通过过滤装置反洗试验确定。初次反洗强度可按现行行业标准《发电厂化学设计规范》DL 5068 的有关规定确定,且不应大于设计值。反洗流量应逐渐增大,应以设备允许的最高滤层膨胀率确定最大反洗流量。冲击反洗时,不得超过最高膨胀率。

4.3.3 当采用直流凝聚过滤工艺时,应进行混凝剂剂量试验,确定合理的混凝剂投加量。

4.3.4 介质过滤装置出力试验应按装置的设计流速运行,出水水质应达到设计要求。

4.3.5 运行周期试验应按照设计出力运行,并应根据过滤装置滤层压差和出水水质情况,确定过滤装置合理的运行周期。

4.3.6 调试完成后,过滤装置的出水水质及出力应符合设计要求。应确定过滤装置的最大出力、出水水质、运行周期、反洗强度和反洗时间、直流凝聚加药量等控制参数,提出合理的运行方式。

4.4 超/微滤装置调试

4.4.1 超/微滤装置调整试验应包括:加药系统的调试、运行工艺参数试验、出力试验、出水水质试验。

4.4.2 加药系统的调试应符合下列规定:

　　1 超/微滤装置加药系统的调试可按本规范第 4.2.3 条执行。

　　2 超/微滤装置运行中的酸、碱、杀菌剂的种类、剂量、投加方式应通过调整试验确定。

4.4.3 超/微滤装置调试启动前,应缓慢进水,排尽组件和管道内部的空气。

4.4.4 超/微滤装置启动前,超滤进水箱的液位应能满足装置启动的要求。浸没式超/微滤装置启动前,膜池的液位应同时满足装置启动要求。

4.4.5 超/微滤装置启动前,进水水质应满足设计要求。

4.4.6 在达到设计流量和出水水质的条件下,超/微滤装置的运行工艺参数试验至少应包括下列内容:

 1 检测进水压力、跨膜压差等运行工艺参数;

 2 确定装置进水加药种类及剂量;

 3 确定物理清洗方式,包括水力反洗、水力正冲、空气擦洗的周期和强度等;

 4 确定化学加强反洗方式,包括清洗周期、浸泡时间、加药种类及剂量等。

4.4.7 超/微滤装置应在本规范第 4.4.6 条确定的工艺参数下进行设计出力试验。

4.4.8 调试完成后,超/微滤装置的出水水质及出力应符合设计要求。应提出装置的运行出力范围、运行周期、进水加药种类及剂量等控制参数,还应提出反洗、化学加强反洗等运行参数。

5 海水反渗透系统调试

5.1 海水反渗透系统调试前应具备的条件

5.1.1 海水反渗透系统应安装完成且通过验收;各设备单体应完成试运行;文件资料应齐全;单体试运验收合格,满足系统调试要求。

5.1.2 海水反渗透系统设备、管道和阀门的标识,应符合本规范第3.1.3条的规定。

5.1.3 设备周围环境温度不得低于5℃;当温度高于35℃时,应采取通风措施。

5.1.4 海水反渗透装置的进水水质应满足反渗透的进水水质要求,反渗透装置的排水通路通畅。

5.1.5 海水反渗透系统应已完成严密性试验,并应符合现行行业标准《电力建设施工技术规范 第5部分:管道及系统》DL/T 5190.5的相关要求。

5.1.6 保安过滤器滤芯、海水反渗透装置的膜元件安装,应符合现行行业标准《电力建设施工技术规范 第6部分:水处理及制氢设备和系统》DL 5190.6的规定。安装前应对保安过滤器、海水反渗透膜壳及装置内管道进行冲洗合格。保安过滤器滤芯安装完毕后应对保安过滤器进行冲洗,直至出水清澈,无肉眼可见杂质。

5.1.7 海水反渗透系统控制逻辑组态应已完成,远程操作、数据采集和联锁保护应符合本规范第3.2.5条的规定。

5.1.8 其他条件应符合现行行业标准《火力发电厂化学调试导则》DL/T 1076第4.1条的相关规定。

5.2 海水反渗透系统调试

5.2.1 海水反渗透系统的调试应包括:加药系统的调试、海水反渗透装置和能量回收装置的调试以及反渗透清洗装置的调试。

5.2.2 加药系统的调试应符合下列规定：

1 海水反渗透加药系统的调试，可按本规范第4.2.3条执行。

2 阻垢剂配制浓度和加药量应符合设计要求。还原剂的加药量应通过试验确定，应确保反渗透进水的氧化剂含量满足反渗透进水的要求。

3 加药系统的报警、联锁保护和自动控制功能应符合设计要求。

5.2.3 海水反渗透装置的调试应符合下列规定：

1 海水反渗透装置首次启动前应冲洗至出水无泡沫，且浓水侧电导率与进水电导率基本相同。冲洗流量应由小至大，最大不应超过反渗透设计进水流量。海水反渗透装置进行冲洗时不应投加阻垢剂，冲洗用水的水质应符合海水反渗透装置进水水质要求。

2 海水反渗透系统在每次启动前应进行低压冲洗排气，排尽系统中的空气。海水反渗透装置启动时，装置的产品水管路和浓水管路应处于畅通状态。

3 当通过高压泵出口流量控制阀控制流量时，流量控制阀的初始位置应处于接近全关的状态，并通过缓慢开大流量控制阀的方式来增大海水反渗透装置进水流量；当通过高压泵变频控制流量时，流量控制阀的初始位置应处于接近全开的状态，并通过缓慢增加高压泵电机运行频率的方式增大海水反渗透装置进水流量。

4 海水反渗透装置启动，应符合下列规定：

1) 当采用功交换式能量回收装置时，应首先调节能量回收装置的低压进水侧和高压出水侧流量，均为浓水设计流量。在启动过程中，应缓慢增加海水反渗透装置的进水流量，直至产品水流量达到设计值，同时通过调节增压泵频率维持浓排水流量不变。

2) 当采用水力涡轮式能量回收装置时，应缓慢增加海水反

　　　　渗透装置的进水流量直至产品水流量和浓水流量达到设计值。
　　3）海水反渗透装置的产品水流量和浓水流量均达到设计值时，各流量调节阀的开度和高压泵电动机频率应为最终控制值。

5 在启动过程中，应经常检查系统运行压力，确保反渗透装置运行压力不超过设计上限。能量回收装置的低压排水压力不应低于 0.1MPa。

6 在调试和运行期间，应详细记录海水反渗透系统的进水 SDI、电导率、pH 值、氧化还原电位或余氯值、温度、压力、流量以及出水电导率等主要运行参数。

7 海水反渗透装置停运时应首先停运反渗透高压泵。当进水电导率和浓水电导率接近时，对于采用功交换式能量回收装置的海水反渗透系统，应依次停运增压泵和反渗透给水泵；对于采用水力涡轮式能量回收装置的海水反渗透系统，停运反渗透给水泵。

8 海水反渗透装置停运后应采用反渗透产品水进行低压冲洗，冲洗时间宜通过调试确定。

6 低温多效蒸馏系统调试

6.1 低温多效蒸馏系统调试前应具备的条件

6.1.1 低温多效蒸馏系统应安装完成且通过验收,各设备单体试运已完成,文件资料齐全,技术记录完整,单体试运验收合格。

6.1.2 低温多效蒸馏系统所有设备、管道和阀门的标识,应符合本规范第3.1.3条的要求。

6.1.3 蒸发器、冷凝器等容器内部应已清扫干净、无残留物;除蒸发器各效人孔门外,其他检查孔应严密关闭,待冷态海水喷淋效果检查完成后,蒸发器各效人孔门应立即封闭。

6.1.4 蒸汽汽源应具备供汽条件,应能够向试运系统提供连续、稳定、参数符合要求的蒸汽。

6.1.5 配套的海水预处理系统应调试完毕,出水水质应符合低温多效蒸馏系统进水要求。

6.1.6 盐水排放系统或回收利用系统应具备投入条件。

6.1.7 产品水储存系统应具备接收产品水的条件。

6.1.8 系统控制逻辑组态应已完成,远程操作、数据采集和联锁保护功能已实现,并符合本规范第3.2.3条的要求。

6.1.9 其他条件应符合现行行业标准《火力发电厂化学调试导则》DL/T 1076第4.1条的规定。

6.2 低温多效蒸馏系统调试

6.2.1 通过调试检验低温多效蒸馏系统的制水能力、出水水质等主要指标是否达到设计要求,并确定设备安全的条件下,系统稳定、经济运行的合理控制参数。

6.2.2 低温多效蒸馏系统的调试宜按下列顺序进行:

1 化学加药系统调试；
　　2 冷态海水喷淋调试；
　　3 整套系统抽真空调试；
　　4 真空严密性试验；
　　5 整套启动；
　　6 调整试验；
　　7 停运试验。
6.2.3 化学加药系统的调试应符合下列规定：
　　1 加药系统的调整可按第4.2.3条执行。
　　2 阻垢剂加药量应符合设计要求，在设计无明确规定时应符合现行国家标准《火力发电厂海水淡化工程设计规范》GB/T 50619的规定；还原剂、消泡剂等药剂加药量应通过调试找出满足低温多效蒸馏系统进水和产品水水质要求的加药量控制值。
　　3 加药系统的报警、联锁保护和自动控制功能应符合设计要求。
6.2.4 冷态海水喷淋调试应符合下列规定：
　　1 建立蒸发器冷态海水喷淋工况时，应首先投运冷却海水、物料海水系统向冷凝器、蒸发器上水，待蒸发器盐水液位高于正常工作液位后，投运盐水排放系统。
　　2 冷却海水、物料海水和盐水排放系统内各设备应运行正常、工作参数符合设计要求。
　　3 应进行海水过滤器反冲洗调试，反冲洗自动控制功能应符合设计要求。
　　4 蒸发器喷淋喷头应安装正确、无脱落、无堵塞，喷淋水流均匀，换热管束表面无明显干燥区。
　　5 蒸发器各效海水喷淋流量应符合设计要求。
　　6 冷却海水、物料海水和盐水排放等运行系统的报警、联锁保护和自动控制功能应符合设计要求。
　　7 设计有冷凝水、减温水、产品水等水泵再循环系统和相应注水系统时,宜在冷态海水喷淋调试阶段投运冷凝水、减温水、产品水系统。冷凝水、减温水、产品水系统内各设备应运行正常,工作参数符合设计要求;冷凝水、减温水、产品水系统的报警、联锁保护和自动控制功能应符合设计要求。

6.2.5 整套系统抽真空调试应符合下列规定:

1 初始抽真空时,应先投入启动抽气器,待冷凝器压力接近设计压力值再切换至正常工作抽气器。

2 采用射汽抽气器的抽真空系统,应先投入排气冷却器冷却水,再投入抽真空工作蒸汽;进蒸汽前,应确认抽真空蒸汽供汽管道已充分暖管、彻底排放疏水;对于设有抽真空工作蒸汽减温水的系统,减温水应与工作蒸汽系统同时投入。

3 采用水环式真空泵的抽真空系统,密封水水质、水温应符合设计要求。

4 整套系统的抽真空速率和压力应符合设计要求。

5 抽真空系统的报警、联锁保护和自动控制功能应符合设计要求。

6.2.6 真空严密性试验应符合下列规定:

1 真空严密性试验初始压力宜采用冷凝器压力设计值。

2 真空严密性试验时间宜为10h~12h,压力记录时间间隔不宜大于30min。

3 试验过程中平均每小时压力升高值应符合设计要求。

4 试验过程中应检查设备是否存在明显漏气点,逐一标识、记录缺陷位置,消除缺陷后应重新进行试验,直至合格。

6.2.7 整套启动应符合下列规定:

1 整套启动宜按以下顺序进行:

1)投运冷却海水、物料海水和盐水排放系统,建立冷态海水喷淋工况;

2)投运化学加药系统,按设计要求向物料海水投加阻垢剂、消泡剂等药剂;

3）投运抽真空系统,整套系统抽真空;
　　4）待冷凝器压力达到设计值,投入加热蒸汽;
　　5）待冷凝水、产品水液位高于工作液位时,投运冷凝水、产品水系统。
　2　进加热蒸汽前应满足下列要求:
　　1）冷态海水喷淋运行应正常、工作参数符合设计要求;
　　2）冷却海水、物料海水、盐水排放、化学加药、抽真空等已投运系统的报警、联锁保护和自动控制功能应正常投入;
　　3）物料海水水质应符合设计要求;
　　4）加热蒸汽供汽管道应充分暖管、彻底排放疏水。
　3　设有加热蒸汽减温水的系统,减温水应与加热蒸汽同时投入。
　4　蒸汽热压缩器、射汽抽气器等蒸汽喷射设备的入口蒸汽温度应符合设计要求。
　5　应控制蒸发器首效的加热蒸汽进汽温度低于或等于设计上限值。
　6　应控制蒸发器首效的盐水温度低于或等于设计上限值。
　7　应控制盐水运行液位低于或等于设计上限。
　8　应待冷凝水、产品水待水质稳定且符合设计要求后回收。
　9　整套系统的报警、联锁保护和自动控制功能应符合设计要求。

6.2.8　调整试验应符合下列规定:
　1　按满负荷工况设计要求,应调整加热蒸汽、物料海水的流量、温度等输入介质参数,以及凝汽器的压力、温度等工作参数,检查产品水流量、水质、水温及造水比,各参数应符合设计要求。
　2　应调整装置产品水产量达到设计最大值、最小值;检查产品水水质、水温、造水比,各参数应符合设计要求。

6.2.9　停运试验应符合下列规定:
　1　应按设计要求完成正常停运和紧急停运试验。

2 正常停运时,可按照先停加热蒸汽系统,再停抽真空、产品水、减温水、冷凝水系统,最后停止物料海水、冷却海水、盐水排放系统及预处理系统的顺序进行。

3 切断蒸汽后,应维持蒸发器海水冷态喷淋和化学加药系统运行,直至首效盐水温度低于40℃。

4 系统停运时,当环境温度低于0℃时,应将系统内存水彻底排净。

5 系统停运后,应按照设计要求采取停运保护措施。计划停运时间超过48h时,宜使用淡水对蒸发器进行冲洗,直至冲洗水电导率低于200 μS/cm。必要时,可保持真空以防腐蚀。

7 系统调试验收项目

7.0.1 预处理系统的调试验收项目应符合设计要求,预处理系统检验项目和试验方法应符合表7.0.1的规定。

表 7.0.1 预处理系统检验项目和试验方法

检 验 项 目	试 验 方 法
澄清装置出水悬浮物	按照现行国家标准《水质 悬浮物测定 重量法》GB 11901测试
介质过滤装置、超/微滤装置出水浊度	按照现行行业标准《水质-浊度的测定》DL/T 809测试
介质过滤装置、超/微滤装置出水SDI	按照现行行业标准《水质 污染指数测定》DL/T 588测试

7.0.2 超/微滤净产水量的考核时间不宜少于8h。超/微滤平均水回收率、净产水量计算方法应按照本规范附录A执行。

7.0.3 反渗透海水淡化系统的调试验收项目应包括产品水水量、脱盐率、水回收率等,脱盐率、水回收率计算方法应按本规范附录B执行。

附录 A 超/微滤平均水回收率和净产水量的计算

A.0.1 平均水回收率应按下式计算：

$$Y = \left(1 - \frac{Q_f T_f + Q_z T_z}{Q_y T_y} - \frac{Q_n}{Q_y}\right) \times 100\% \quad (A.0.1)$$

式中：Y——平均回收率(%)；

Q_y——超/微滤装置运行时每个周期平均进水流量(m^3/h)；

Q_n——超/微滤装置运行时每个周期平均浓水流量(m^3/h)；

Q_f——超/微滤装置反洗时每个周期平均反洗水流量(m^3/h)；

Q_z——超/微滤装置每个周期平均正洗水流量(m^3/h)；

T_y——超/微滤装置每个周期制水时间(h)；

T_f——超/微滤装置每个周期反洗时间(h)；

T_z——超/微滤装置每个周期正洗时间(h)。

A.0.2 净产水量应按下式计算：

$$Q = \frac{F_y - F_n - F_f - F_z}{H} \quad (A.0.2)$$

式中：Q——净产水量(m^3/h)；

F_y——考核时间内超/微滤装置进水量累计值(m^3)；

F_n——考核时间内超/微滤装置浓水量累计值(m^3)；

F_f——考核时间内超/微滤装置反洗所消耗的产水量累计值(m^3)；

F_z——考核时间内超/微滤装置正洗所消耗的产水量累计值(m^3)；

H——考核时间(h)。

附录 B 反渗透脱盐率和水回收率的计算

B.0.1 反渗透装置的脱盐率可采用重量法或电导率测定法进行计算。

B.0.2 重量法应按现行国家标准《生活饮用水标准检验方法》GB/T 5750 规定的溶解性总固体检测方法测量海水和产品水含盐量，并应按下式计算：

$$R = (1 - C_d / C_y) \times 100\% \quad (B.0.2)$$

式中：R——脱盐率(%)；

　　　C_d——产品水含盐量(mg/L)；

　　　C_y——海水含盐量(mg/L)。

B.0.3 电导率测定法应用电导率仪测定海水和产品水电导率，电导率测定法计算脱盐率如下式所示：

$$R = (1 - C_1 / C_2) \times 100\% \quad (B.0.3)$$

式中：R——脱盐率(%)；

　　　C_1——产品水电导率(μS/cm)；

　　　C_2——海水电导率(μS/cm)。

B.0.4 水回收率应按下式进行计算：

$$Y = Q_p / Q_f \times 100\% \quad (B.0.4)$$

式中：Y——水回收率(%)；

　　　Q_f——海水流量(m³/h)；

　　　Q_p——产品水流量(m³/h)。

注：保留三位有效数字。

本规范用词说明

1 为便于在执行本规范条文时区别对待,对要求严格程度不同的用词说明如下:
  1)表示很严格,非这样做不可的:
    正面词采用"必须",反面词采用"严禁";
  2)表示严格,在正常情况下均应这样做的:
    正面词采用"应",反面词采用"不应"或"不得";
  3)表示允许稍有选择,在条件许可时首先应这样做的:
    正面词采用"宜",反面词采用"不宜";
  4)表示有选择,在一定条件下可以这样做的,采用"可"。
2 条文中指明应按其他有关标准执行的写法为:"应符合……的规定"或"应按……执行"。

引用标准名录

《给水排水构筑物工程施工及验收规范》GB 50141
《电气装置安装工程旋转电机施工及验收规范》GB 50170
《火力发电厂海水淡化工程设计规范》GB/T 50619
《不间断电源设备(UPS) 第3部分:确定性能的方法和试验要求》GB/T 7260.3
《水质 悬浮物的测定 重量法》GB 11901
《反渗透能量回收装置通用技术规范》GB/T 30299
《生活饮用水标准检验方法》GB/T 5750
《发电厂化学设计规范》DL 5068
《电力建设施工技术规范 第4部分:热工仪表及控制装置》DL 5190.4
《电力建设施工技术规范 第5部分:管道及系统》DL/T 5190.5
《电力建设施工技术规范 第6部分:水处理及制氢设备和系统》DL 5190.6
《电力建设施工质量验收及评价规程 第6部分:水处理及制氢设备和系统》DL/T 5210.6
《火力发电建设工程机组调试技术规范》DL/T 5294
《水质 污染指数测定》DL/T 588
《水质-浊度的测定》DL/T 809
《火力发电厂化学调试导则》DL/T 1076

中华人民共和国国家标准

火力发电厂海水淡化工程调试及
验收规范

GB/T 51189-2016

条文说明

制 订 说 明

《火力发电厂海水淡化工程调试及验收规范》GB/T 51189—2016,经住房城乡建设部 2016 年 8 月 26 日以第 1291 号公告批准发布。

本规范制定过程中,编制组进行了深入、广泛的调查研究,总结了我国火力发电厂海水淡化工程调试及验收的实践经验,同时参考了国外先进技术法规、技术标准。

为了方便广大设计、施工、科研、学校等单位的有关人员在使用本规范时能正确理解和执行条文规定,《火力发电厂海水淡化工程调试及验收规范》编制组按章、节、条顺序编制了本规范的条文说明,对条文规定的目的、依据以及执行中需要注意的有关事项进行了说明。但是,本条文说明不具备与标准正文同等的法律效力,仅供使用者作为理解和把握规范规定的参考。

目　次

1 总　　则 ……………………………………………… （33）
3 海水淡化系统设备单体调试 ……………………………… （34）
  3.1 调试前应具备的条件 ………………………………… （34）
  3.2 设备检查及单体调试 ………………………………… （34）
4 海水淡化预处理系统调试 ………………………………… （35）
  4.1 预处理系统调试前应具备的条件 …………………… （35）
  4.2 混凝澄清装置调试 …………………………………… （35）
  4.3 介质过滤装置调试 …………………………………… （35）
  4.4 超/微滤装置调试 ……………………………………… （36）
5 海水反渗透系统调试 ……………………………………… （37）
  5.1 海水反渗透系统调试前应具备的条件 ……………… （37）
  5.2 海水反渗透系统调试 ………………………………… （37）
6 低温多效蒸馏系统调试 …………………………………… （38）
  6.1 低温多效蒸馏系统调试前应具备的条件 …………… （38）
  6.2 低温多效蒸馏系统调试 ……………………………… （38）

1 总 则

1.0.2 反渗透海水淡化工艺是目前海水淡化工程中应用最多的一种技术；低温多效蒸馏海水淡化工艺目前已经成为国内火电厂热法海水淡化的主流技术，其他海水淡化技术可参照本规范执行。

1.0.5 海水淡化工程的调试、验收工作应符合火力发电厂的相关调试、验收规定。与海水淡化系统相关的电气、仪表、程控、采暖通风等设备的调试和验收，应按照火电厂相关专业调试、验收规范执行。

3 海水淡化系统设备单体调试

3.1 调试前应具备的条件

3.1.4、3.1.5 这两条根据《安全生产法》第二章的相关要求,对调试单位及调试人员关于安全生产教育和培训、安全操作规程以及事故应急处置提出了相关要求。

3.2 设备检查及单体调试

3.2.1 本条根据现行行业标准《电力建设施工技术规范 第6部分:水处理及制氢设备和系统》DL 5190.6—2012 第11章的相关规定对电动机、水泵、风机和空压机、计量泵等设备单体检查和调试提出相关要求。

3.2.5 本条根据现行行业标准《电力建设施工技术规范 第4部分:热工仪表及控制装置》DL 5190.4—2012 中第9章的内容,对热工测量仪表和控制装置的校验和调试内容提出相关要求。

3.2.6 本条规定了海水预处理系统设备及单体调试前应具备的条件。

  1 该条文参照现行行业标准《电力建设施工技术规范 第6部分:水处理及制氢设备和系统》DL 5190.6—2012 第4章的内容,规定了澄清池、过滤器、超滤等预处理设备的安装要求。

  4 参照现行行业标准《电力建设施工技术规范 第6部分:水处理及制氢设备和系统》DL 5190.6—2012 第11章的内容,规定了转动机械单体试运的条件、要求。

3.2.7、3.2.8 这两条参考现行行业标准《电力建设施工技术规范 第6部分:水处理及制氢设备和系统》DL 5190.6—2012 的有关规定。

4 海水淡化预处理系统调试

4.1 预处理系统调试前应具备的条件

4.1.1~4.1.6 这6条规定了预处理系统分系统调试前需完成的工作和具备的条件。由于膜处理设备中的膜属于高分子有机复合材料,环境温度过低或过高都会造成膜材料老化、损坏或不可逆的性能恶化,因此需要对膜处理设备周围环境温度作出规定。

4.2 混凝澄清装置调试

4.2.1 本条规定了混凝澄清装置调整试验应包括的基本工作内容,调试时可根据具体澄清装置的类型增加必要的调试项目。

4.2.2 根据水源水质情况,通过试验确定混凝剂和助凝剂的种类及基础投加量。一般采用烧杯试验,可按《混凝沉淀烧杯试验方法》CECS-130-2001执行。

4.2.3 本条规定了加药系统的调试要求。加药系统试运转前,必须对计量泵进行性能试验,根据试验结果可对实际加药流量进行校正,以准确控制药剂投加量。

4.2.4 微涡絮凝等水力反应沉淀池在额定流量附近运行,才能获得好的反应效果。

4.3 介质过滤装置调试

4.3.1~4.3.6 通过调整试验,确定过滤装置的反洗强度、反洗时间以及运行周期,并确定出水水质和出力是否达到设计要求。上述条文适用于快滤池、双阀滤池、无阀滤池等重力滤池及机械过滤器、V型滤池等各种常用过滤装置的调试。纤维过滤因较少用于海水淡化系统,在此未作规定。

4.4 超/微滤装置调试

4.4.1 本条规定了超/微滤装置调整试验应包括的基本工作内容,调试时可根据具体设备类型增加必要的调试项目。

4.4.2 本条规定了超/微滤装置加药系统的调试要求,对于运行中需投加的酸、碱及杀菌剂种类、剂量、投加方式等,可结合进水水质和设备厂家技术要求进行确定。

4.4.4 浸没式超/微滤装置的膜池液位,在启动前必须至少高于膜组件顶部高程,否则将造成装置出水泵真空破坏,并可能造成膜丝损伤。

4.4.5 超/微滤装置进水水质指标主要包括:水温、pH 值、浊度等,设备供货合同未明确提出进水水质设计要求时,应符合现行国家标准《火力发电厂海水淡化工程设计规范》GB/T 50619 的有关规定。

4.4.8 采用调试确定的最佳运行工艺参数,缓慢增大装置流量至最大设计流量运行,检验出水水质是否达到设计要求。

5 海水反渗透系统调试

5.1 海水反渗透系统调试前应具备的条件

5.1.1～5.1.8 这 8 条主要说明海水反渗透调试所需的基本条件。

5.2 海水反渗透系统调试

5.2.2 还原剂可采用 $NaHSO_3$,加药量应与反渗透进水氧化还原电位值或余氯值联锁,以避免反渗透膜受到不可逆的氧化。

5.2.3 本条规定了海水反渗透系统调试应达到的要求。

  2 由于海水反渗透系统运行压力较高,如在启动时不进行排气,在反渗透停机时压缩的气体会瞬间急剧膨胀而撕裂膜层。

  4 采用水力涡轮式能量回收装置时,随着海水反渗透装置进水流量的增加,产品水流量和浓水流量会随同时增加;由于水力涡轮式能量回收装置是按照系统最初设计的理论运行参数设计和制造的,最终实际运行的浓水流量及装置回收率取决于系统实际运行工况,包括水温、含盐量、膜元件新旧程度等。

  5 保持能量回收装置低压排水压力不应低于 0.1MPa 的主要目的是为了防止能量回收装置内产生汽蚀。

  7 如反渗透给水泵和高压泵同时停运,由于没有新鲜海水送到能量回收装置低压进水侧,膜堆内部浓盐水无法用海水置换出来,海水置换浓盐水的时间一般为 2min～3min。

  8 停运后低压冲洗的主要目的是为了将反渗透装置浓水侧的浓水进行置换,防止停运期间浓水侧结垢。

6 低温多效蒸馏系统调试

6.1 低温多效蒸馏系统调试前应具备的条件

6.1.1~6.1.9 这9条规定了低温多效海水淡化系统分系统调试前需完成的工作和具备的基本条件。

6.2 低温多效蒸馏系统调试

6.2.4 蒸发器海水喷淋流量和喷淋均匀性是MED设备的重要指标，喷淋流量低于设计值或喷淋不均匀，造成换热管表面润湿不完全，影响换热效率下降，也可能增加水垢沉积速率。

6.2.5 为防止蒸汽带水冲刷抽气器喷嘴，进工作蒸汽前，应对供汽管道充分暖管、彻底排放疏水。

6.2.6 真空严密性试验应在抽真空系统调试完成后进行。试验过程宜停止蒸发器喷淋海水，防止海水中气体溢出干扰测试。若需要在试验过程中保持盐水循环，应至少在盐水循环1h后再开始试验计时。为避免温度变化影响，两次读压力的环境温度应基本相同，宜在晚上进行真空严密性试验。

6.2.7 本条规定了整套启动应符合的条件。

    2 为防止蒸汽带水冲刷蒸汽热压缩器喷嘴，进加热作蒸汽前，应对供汽管道充分暖管、彻底排放疏水。

    4 为保护蒸汽热压缩器、射汽抽气器等蒸汽喷射装置的喷嘴不被湿蒸汽冲刷，应维持一定的入口蒸汽干度，入口蒸汽温度宜高于对应进蒸汽压力下饱和温度10℃~30℃。

    5 应避免蒸汽阀门开启速度过快，防止蒸发器首效进蒸汽温度、压力快速上升激活联锁，以及可能引起的蒸汽热压缩器喘振。

    6 为控制低温多效蒸馏设备换热面结垢速率，宜控制首效盐水温度低于或等于65℃。

7 冷态喷淋工况下,应控制蒸发器盐水液位,避免盐水进入产品水系统;正常运行时,应避免盐水淹没换热管,影响换热效果。

6.2.9 本条规定了停运试验应符合的条件。

3 停止加热蒸汽后,维持一段时间蒸发器的海水喷淋,有利于从蒸发器换热管束上去除运行过程沉积的水垢。

5 停运冲洗水应采用海水淡化装置的产品水或其他与产品水水质相近的淡水。